Mates-Publishing

本書のとくちょう

1 トッププロを数多く育てた元日本代表コーチの最新理論が満載

2 子どもがわかる言葉でテニスの基本プレーを紹介

3 すべてのプレーのうまくなるコツやポイントをくわしく解説

※本書は2019年発行の『もっと活躍できる！小学生のためのテニスがうまくなる本 新版』を元に内容の確認、新規内容を追加、書名・装丁を変更して新たに発行したものです。

はじめに

テニスがうまくなるには、日々適切な指導のもとでテニスができる環境とカラダ作りの2つの土台が必要です。

スクールなどで指導者にコーチを受ければ、将来的にテニスが上達しやすくなる運動動作を身につけることができます。そして、競い合えるライバルが近くにいることで、うまくなろうという気持ちも強くなるでしょう。

私自身も幼少期からテニスをはじめて、多くのジュニアが練習するクラブに入り、たくさんのライバルたちと練習をしてきました。負けたくないという気持ちが日々の努力を生み、厳しい練習にも耐えることができ、最終的にプロという道に進むことができました。

カラダの面では、成長期の小学生は神経系の発育が伸びる時期でもあります。将来テニスにつながる運動（走る、止まる、飛ぶ、投げる、打つなど）を行うことで、本書で紹介する技術の習得が早くできるようになります。

本書では私が日本代表コーチとして、たくさんのトッププレイヤーに指導をしてきた経験をもとにストローク、ボレー、スマッシュ、サーブと、テニスのもっとも基本となるプレーについて、わかりやすく解説しています。

それだけでなく、運動神経を高める「コーディネーショントレーニング」や、10歳以下の子どもでも、たのしくテニスができる「プレイアンドステイ」という指導プログラムについても巻末で紹介しています。

ぜひ、本書をテニスがうまくなるための土台づくりに活用してください。本書をきっかけに、多くの子どもたちにテニスのたのしさを知ってもらい、テニスを通じて素晴らしい体験をしてもらいたいと思います。

元日本代表コーチ　増田健太郎

本書の使いかた

この本は、小学生のテニスで知っておきたい基本のプレー、テクニックを文章と写真で解説しています。１章から４章まで各ショットの基本を身につけ、５章、６章でテニスがもっとうまくなるトレーニング、練習方法をおぼえましょう。

タイトル

このページで取り上げるプレーです。

キーワード

このプレーを身につける上でもっともたいせつなポイントです。

これができる

テニスの試合の中でできるようになることを紹介します。

ポイント

手順の中で、とくに注意するべき点や重要な動きの説明です。

テクニック 24 PART2 ▶ ボレー

ドライブボレー

ストロークの動きをノーバウンドでおこなう強力なショット

これができる

一撃でポイントがとれる強力なショットが打てる

コツ

❶ストロークのように打つ

❷コンパクトなテイクバックで打つ

コツ 1

ノーバウンドでストロークのように打つ

①高い位置でテイクバックをする。　②コンパクトな打点でボールを打つ。

78

本文

ショットの打ち方や、テクニックの使い方や気をつけることなどを解説します。

チャンスボールを打つような気持ちでスイングする

ドライブボレーとは、ストロークのうごきをノーバウンドでおこなうボレーです。とても攻撃的なスイングで、一撃でポイントがとれる強力なショットです。そのかわりに、ノーバウンドでストロークのスイングをするために、ミスヒットもおこりやすいので、気をつけましょう。チャンスボールを打つような気持ちで、高い位置でテイクバックをしましょう。

③フォロースルーをする。

コンパクトなテイクバックで大振りしないように打つ

テイクバックはなるべくちいさくコンパクトにおこないましょう。バウンドしないぶん、いりょくのあるボールがくるので、大振りするとミスしやすくなります。

NG

カラダが開くとミスしやすい

力いっぱいラケットを振ろうとしてカラダが開いてしまうと、頭の位置や目線がぶれてしまうので、ミスヒットにつながりやすいので気をつけましょう。

79

コツ

そのプレーを身につけるために知っておきたいコツを説明します。

NG

よくやってしまうダメな例を紹介します。

手順

文章と写真を使ってプレーについて説明します。

小学生のためのテニスがうまくなる本

増補改訂版

基本スキルを完全マスター！

CONTENTS

もくじ

テニスの基本

PART1
ストローク

PART2
ボレー

PART3
スマッシュ

PART4
サーブ

PART5
基礎力(きそりょく)アップのためのトレーニング

PART6
技術力(ぎじゅつりょく)アップのための練習方法(れんしゅうほうほう)

テニスがもっとうまくなる3つのカラダの使いかた

①いつも同じ打点で打てばミスショットしない！

ポイント2 フットワークを意識して打ちやすい位置にすぐに移動しよう

テニスは基本的に自分のミスで失点することが多いスポーツ。そのため、世界のトッププレーヤーの試合でも、ミスをどれだけなくすことができるかが勝利のカギになります。ミスをへらすには、さまざまなショットの練習ももちろん大事ですが、練習通りのボールが飛んでくることは少ないので、いつも同じように打てるよう、打ちやすい位置へ動いて正確に打つことを心がけましょう。

ポイント1 いつも同じ位置で正確に打つことを意識

ボールがどこへ飛んできても、つねにカラダやラケットが同じ位置で正確に打ちかえせるようにならないと試合には勝てません。どのショットでも自分がいちばん打ちやすい位置を考えて練習しましょう。

②カラダのバランスを保ち正確なショットを打つ！

テニスの動きのなかでもっとも重要なのが、カラダのバランスを保つことです。たとえば、動き出すまえの姿勢が悪いと、動きはじめるまでに時間がかかり、ボールにはやく追いつくことができません。また、ボールを打つときにカラダとラケットの位置がバランスが悪いと、目線がぶれてしまい、正確に打つことができません。いつもよい姿勢でバランスを保ったまま動くようにしましょう。

ポイント 1

バランスが悪いと打点がぶれてしまう

きれいな姿勢からスイングすると、顔の位置が動かないのでボールをしっかり目で追うことができる。カラダやラケットの位置が悪くバランスが悪いと、目線がぶれてしまい、ボールを正確に打つことができない。

③ つねに試合を意識して練習すれば緊張しない！

ポイント1 一球ごとに練習の意味や目的を意識して打つようにしましょう。

練習ではできているのに、試合ではうまく打てない、緊張してしまってどうしたらいいかわからない、ということはありませんか？　そういう人は、練習のときから試合をイメージして取り組むことで、うまく打てるようになります。また、今練習していることが、試合でどう役にたつのか、試合のどういう状況のボールなのか、つねに自分で考えておこなうようにしましょう。

ポイント2 つねに考えながらボールを打つ

試合のときは、どうすれば得点することができるか、考えながらボールを打ちましょう。たとえば「アプローチを打ったあと、ボレーでまえへつめてチャンスをつくろう」と考えれば、迷わずに次の動きができます。

グリップの握りかた

片手と両手でそれぞれの基本的なラケットの握りかたを確認しよう

基本の持ちかたは？

ラケットを地面に置き、そのまま上から自然に持ち上げたときが基本の持ちかたです。

自分にあった握りかたを見つけよう

テニスをするとき、これでなければいけないというグリップ（握りかた）はありません。インパクトのときに力の入るグリップで持ちましょう。しかし、いちどなれると変更するのがむずかしいので、最初は基本のグリップであるイースタングリップをおぼえておくといいでしょう。

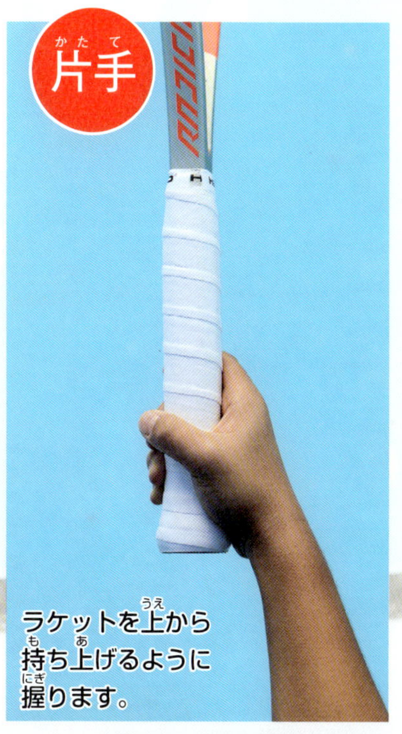

ラケットを上から持ち上げるように握ります。

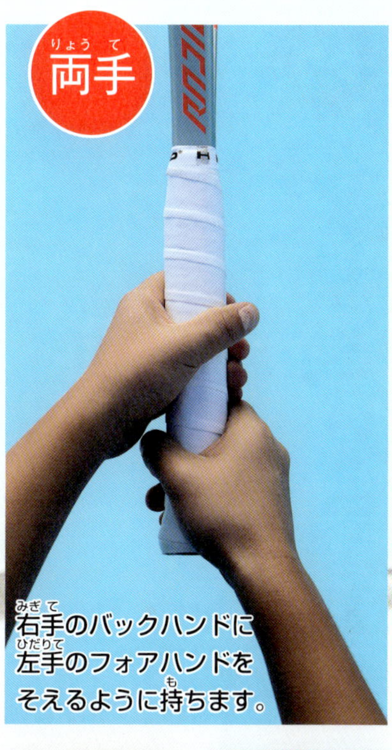

右手のバックハンドに左手のフォアハンドをそえるように持ちます。

NG

短くラケットを持たない

短く持ってしまうと、ボールに十分なパワーを伝えられません。長めにラケットを持つようにしましょう。

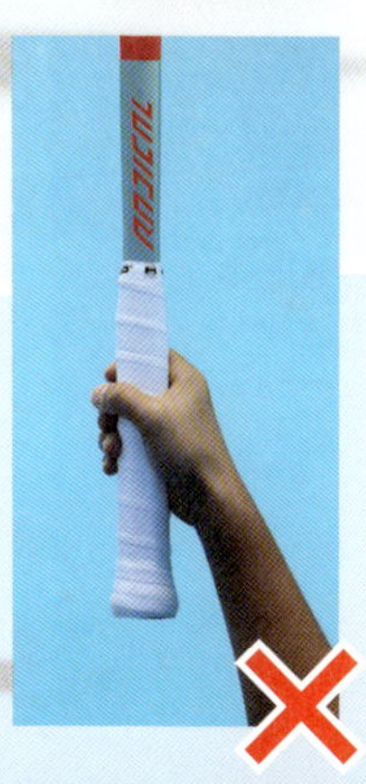

NG

両手をはなさない

右手と左手がはなれていると安定したスイングができません。両手をつけてラケットを持ちましょう。

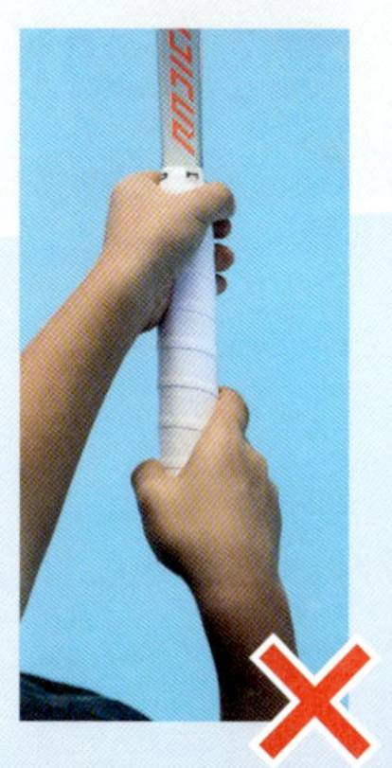

テニスの基本

グリップの種類

イースタン、セミウエスタン、ウエスタンのそれぞれのグリップの使いかたをおぼえましょう。

ボレー、スマッシュ、サーブを打つとき イースタン

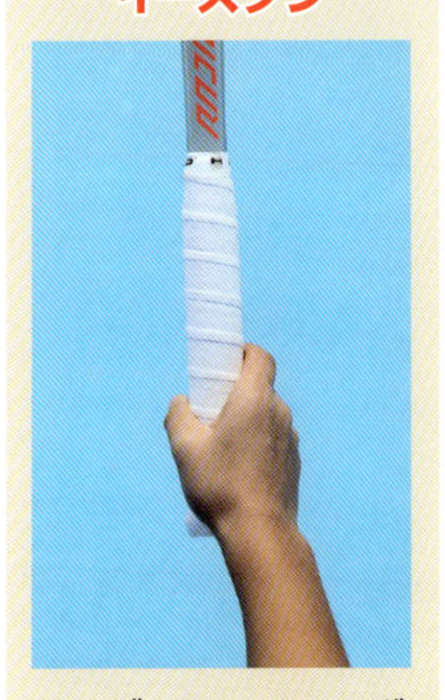

サーブ、スマッシュ、ボレーを打つときに使うグリップです。小学生は移行期なので。少しずつこの握りに近づけるようにしましょう。

フォアハンドストロークを打つとき セミウエスタン

フォアハンドストロークを打つときの基本的なグリップです。

トップスピンをかけて打つとき ウエスタン

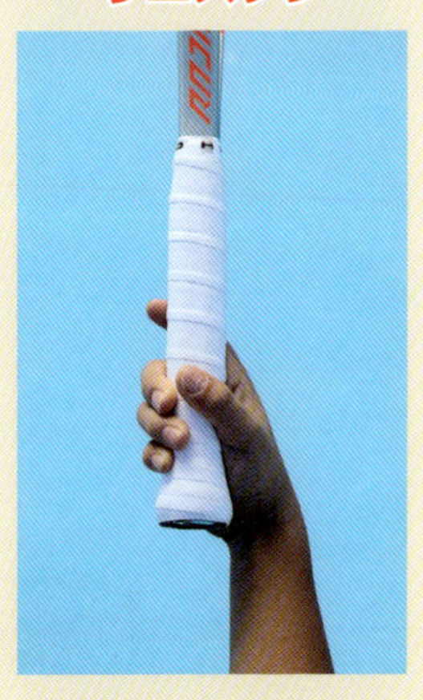

フォアハンドストロークを打つときに使う、厚いグリップです。ジュニアは自然と厚くなるので、厚くなりすぎないようにしましょう。

薄い ⟷ 厚い

フォアハンドのボレーを打つときはイースタンが向いています。

セミウエスタンかウエスタンで握るといいでしょう。

打ちたいボールで持ちかたをかえましょう

ラケットの握りかたはおおきく3つにわかれます。かまえたときにラケットの面と手のひらが同じほうを向いているのがイースタングリップで、手のひらが上を向いているのが、ウエスタングリップになります。そして、その中間がセミウエスタンです。それぞれ打ちたいボールにおうじてかえましょう。

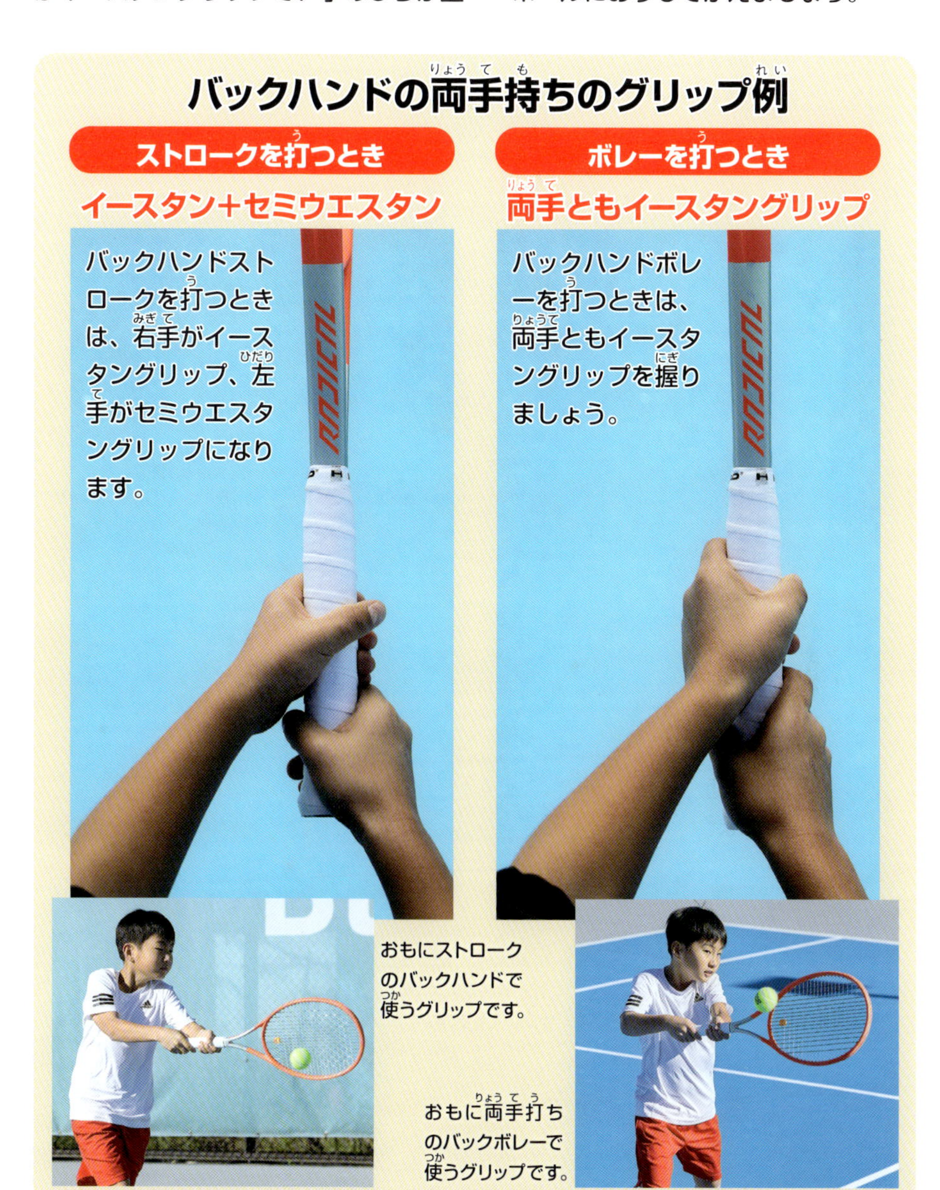

かまえるときの姿勢

どこにボールが飛んできてもすぐに反応できるように
基本となるかまえを確認しましょう

どこにボールが飛んできてもいいように、準備しておきます。

NG

ぼーっと立たないように

ヒザを伸ばし立っているだけでは、重心が下がっていないので、すばやいボールへ反応することができません

自分からボールを取る気もちでかまえる

テニスをするときは、相手からボールが飛んできたときにすぐに動けるように上半身をリラックスさせ、ヒザをかるくまげて腰を落とすのが基本姿勢になります。そして胸をはり、つま先に重心をのせて、自分からボールを取りにいくような気もちでかまえましょう。

腰を落とし、つま先に重心をのせる

NG

重心がかかとよりだとすぐに動けない

腰が上がったままで、重心がかかとよりになっていると、短いボールに反応できません。

スプリットステップ

動き出すときの反応をスムーズにし さまざまなボールに対応する

スプリットステップはボールを打つまえにかならずおこなう基本的な動作です。相手がボールを打つ瞬間にかるくジャンプして着地と同時にかまえます。着地後、一度しっかり止まることで次へのボールの入り方が正確になるので、ボレーに行ったときは必ずスプリットステップを入れて行けるようにしましょう。

ポイント1
相手が打つタイミングに合わせてジャンプ

両足をそろえて軽くジャンプ

相手がボールを打つのにあわせ、まえにかるくすすんで、両足をそろえてジャンプ。同時に着地します。

基本ステップ(クローズドスタンス)

打ちたい方向にステップし体重をのせていく

基本ステップには大きくクローズドとオープンの2つあります。クローズドスタンスは一番ボールに力を伝えやすく、体重移動がしやすいステップになります。利き腕が右手の場合、右足でセットして左足で打ちたい方向にステップインしていく動作です。自分から打っていきたいとき、このステップを使って力強く返球をします。

打ちたい方向に体重をのせていく

後ろの足を打ちたい方向のうしろにしっかりセットする。そこから打ちたい方向にステップインする。

ポイント2
体重をのせて大きく振りぬく

基本ステップ(オープンスタンス)

利き足に体重をのせて大きくけりあげる

クローズドスタンスとちがい、ステップインを1つ省いた動作になります。相手のボールが速かったり、ステップインする時間がなかったり、力強いトップスピンをかけたりするときに使用します。打ち終わったあと、戻りが速くなるというメリットもあります。あとは相手の力をうまく利用して打つときも、ステップを1つ省くので、とても速く動くことができます。

ポイント1
オープンスタンスの場合は、カラダをしっかり横向きにしよう

セミオープン

クローズドとオープンの間くらいのステップ

クローズドでもオープンでもない、すこしあいまいな位置に左足がセットされていることをセミオープンスタンスといいます。来るボールや打ちたいボールに対応させて好きな位置にステップしましょう。

ポイント2

打つときはカラダの開きに気をつけよう

ストロークとは？

自分側のコートでワンバウンドしたボールを打ちかえすストロークはもっとも基本になるプレーなので、しっかりマスターしましょう。

相手の動きをかんさつし、飛んでくるボールをよそうする

相手がかえしにくいところにボールを打つ

ストロークはどんなショット？

一度バウンドしたボールを打ちかえすプレーをストロークといいます。もっとも基本となるプレーで、おたがいにストロークをおこないながら試合が進んでいきます。テニスの試合のなかでいちばん打つ回数がおおいので、ストロークがうまくなると、試合の主導権を握ることができます。

ストロークのおもな種類

もっとも基本となるプレーだけに、相手のボールにたいして、さまざまな種類のストロークがあります。

フォアとバック

ボールの飛んでくるほうこうによって、フォアとバックに分かれます。

→30ページ

チャンスボール

浅く高く弾んだボールを、上から力強く叩いて行くショットです。

→52ページ

アプローチ

前に移動しながら打つ、ボレーに行くためのショットです。

→54ページ

ロブ

山なりに大きくボールを飛ばすショットです。時間をかせいだりするときに使います。

→56ページ

ライジングショット

バウンドして上がってきたボールを、早いタイミングで打つショットです。

→58ページ

ドロップショット

スライス回転をかけて、相手のネットぎわに短いボールを落とすショットです。

→60ページ

テクニック 01

PART1 ▶ ストローク

フォアハンドストローク

利き手側にボールがくるように移動してカラダを大きく使って打つ

これができる

速くて強いボールを打ち、試合を有利にできる!

コツ

❶テイクバックからフォロースルーまでカラダを大きく使って打つ
❷手だけでラケットを振らないように

コツ 1

テイクバックからフォロースルーまでカラダを大きく使って打つ

①テイクバック(ラケットを後ろに引く)する。　②ラケットの面にボールを当てる。

利き手側で打ち試合を有利にする

フォアハンドのストロークは、利き手側にワンバウンドして飛んできたボールを打つショットです。利き手側で打つことで、強力なボールを飛ばすことができます。攻撃をしかけるチャンスが生まれやすく、試合が有利になるので、できるだけ利き手側でボールを打てる位置に移動して、積極的にフォアハンドで打っていきましょう。

③大きくスイングしてフィニッシュする。

コツ2 手だけでラケットを振らないようにしよう

上半身をしっかりターンさせカラダ全体を使って大きくスイング（ラケットを振る）しましょう。手の力だけでボールを飛ばさないようにしましょう。

NG カラダが開いてミスしないように注意

フォアハンドは力が入りやすい分、カラダが開きやすくなります。カラダが大きく開くと、バランスをくずし、ミスにつながりやすくなるので注意しましょう。

テクニック 02

PART1 ▶ ストローク

正確な打点でボールを打つ

ボールを打ちやすい場所に移動しスイートスポットにボールを当てる

これができる

ねらった位置にボールを打つことができる!

コツ

❶スイートスポットでボールを打つ
❷打点をしっかり前で取る

いつも打ちやすい位置に移動して、スイートスポットで打つことで、強くて速いボールになる。

打つときの面の位置や向きに注意する

テニスはボールがラケットに当たった瞬間に、どこに飛んでいくかが決まります。どんなにきれいなスイングであっても、ボールがラケットに当たる瞬間に、ラケットの面が適切な打点（打つときの面の位置や向き）になければ、ねらった位置にはボールは飛ばないので、注意しましょう。ボールを打ちやすいところにすばやく移動して、スイートスポットに当てましょう。

コツ 1

スイートスポットでボールを打つ

ボールを打つときは、すばやく移動して、スイートスポット（ラケットの中心よりすこし上で、ボールを当てたときにもっともよく飛ぶ位置）で打ちましょう。

コツ 2

打点をしっかり前で取る

人間はものを押すとき、よこより、正面から押す方が力を伝えやすいです。それと同じで、ボールを打つときも、カラダのよこではなくまえで打つと強いボールになります。

NG

いろいろな打点でボールを打たない

いろいろなボールが飛んできますが、どんなボールが来ても、つねに自分が打ちやすい位置に移動していい打点で取るようにしましょう。よいボールが打てるようになります。

テクニック
03

PART1 ▶ ストローク

テイクバックをする

カラダをターンさせて強いボールを打つ準備をする

これができる

テイクバックをおこない強いボールを打ちかえす

コツ

❶ボールがくるまえに打つ準備をする
❷相手のボールに応じてテイクバックを変化させる

ポイント
早めに準備をしておけば、安定したショットが打てる

ボールが来る前に、テイクバックをして、打つ準備をしよう。

ラケットをかまえ、打つ準備をする

テイクバックとは、ボールを打つためにカラダをターンさせて、これから打つという準備をする動作です。

相手に対して正面を向いているところから、フォア（ラケットを持つ手）にボールがきたら、ラケットをかまえます。そしてテイクバックして、打つ準備をしましょう。テイクバックが遅いと、振り遅れてしまうので気をつけましょう。

コツ 1

ボールがくるまえに打つ準備をする

ボールが飛んできてからテイクバックをしても、あわてて打つことになり、正確に狙ったところへ飛ばすのが難しくなります。余裕を持って、早めにテイクバックをしましょう。

コツ 2

相手のボールに応じてテイクバックを変化させる

テイクバックの大きさはボールのスピードに合わせて変化させましょう。速いボールが飛んできた場合は間に合わないので、小さくテイクバックしましょう。

NG

早めに準備しないと振り遅れてしまう

テイクバックの準備ができていないと振り遅れてしまいます。相手のボールのスピードに追いつけないと、安定したボールを打つことができないので早めに準備しましょう。

大きく高い位置でラケットを振りぬききれいなスイングを心がける

これができる

大きく振って深いところにボールを飛ばせる

コツ

❶最後まで高い位置でラケットを振りぬく
❷反対の手で最後にラケットをつかむ

ラケットを振りぬくときは、大きく高い位置を意識しよう。

ラケットを最後まで高い位置で振り抜く

フォロースルーとは、打ち終わったあとの動作のことです。

しっかりテイクバックして、良い打点でボールを打てば、かならずきれいなフォロースルーになります。ボールを打ったあとは、ラケットが高い位置で、振り終わっているといいでしょう。それができているということは、大きな動作で、力強いショットが打てているということです。

コツ 1

最後まで高い位置でラケットを振りぬく

スイングの最後は肩よりも高い位置でラケットを振りぬくようにすると、きれいなスイングになります。ボールを力強く飛ばすために、大きいフォロースルーを心がけましょう。

コツ 2

反対の手で最後にラケットをつかむ

フォロースルーをしたら、最後に反対の手でラケットをキャッチしましょう。そうすると自然にきれいなフォロースルーの動作を身につけることができます。

NG

フォロースルーは小さくならないようにしよう

カラダに巻きつくような小さいフォロースルーでは打ったボールが浅くなってしまい大きくボールを飛ばせません。フォロースルーは大きく取れるようにしていきましょう。

テクニック
05

バックハンドストローク（両手）

ラケットを持つ手と反対側へきたボールを両手で打つ

これができる

両手でバックハンドを打てるようになる

コツ

❶両手でラケットを握る
❷大きなスイングでボールを打つ
❸肩ごしにボールを見る

コツ 1

両手でラケットを握ってボールを打つ

①すばやくテイクバックする。

②カラダのまえの方で、ボールを打つ。

おぼえやすいのですぐに打てる

バックハンドストロークとは、ラケットを持つ手と反対側に飛んできたボールを打つショットです。両手打ち（両手でラケットを持って打つ）のばあい、打てるはんいはせまいですが、強いボールがきても打ちかえしやすいです。早く上達するので、両手打ちを選ぶ人はおおいです。

③大きくフォロースルーをする。

コツ2

大きなスイングで遠くへボールを飛ばそう

手にまきつくような小さなフォロースルーになると、遠くにボールを飛ばすことができません。しっかりとラケットを振りぬいて、力強いボールを打ちましょう。

コツ3

肩ごしにボールが見えるほどカラダをひねる

テイクバックをしたときに、肩ごしに飛んでくるボールがしっかりと見えるくらい、カラダをひねりましょう。そうすると、大きくスイングをすることができます。

バックハンドストローク（片手）

ラケットを片手で持ち バックハンドでスイングする

これができる

片手でバックハンドを打てるようになる

コツ

❶ラケットを片手で持つ
❷カラダのまえのほうで打つ
❸ラケットを持たない手を広げる

コツ1

片手でラケットを持ちバックハンドストロークをする

①左手でラケットを引くようにテイクバックする。

②カラダのまえでボールを打つ。

回転をかけやすく カラダへの負担が少ない

バックハンドストロークの片手打ちは、おぼえるのにとても時間がかかります。とくに小学生は、力がないので、打つのがむずかしいショットです。

しかし、おぼえることができれば、バックハンドでもさまざまな回転をかけやすくなり、カラダへの負担も少ないのがとくちょうです。

③大きく両手を広げてフォロースルー。

コツ2 カラダのまえの方でボールを打つ

片手打ちは力が入りにくいので、ボールがラケットに当たるとき、カラダのまえで打ちましょう。カラダのよこで打つよりも、強いボールを打つことができます。

コツ3 ラケットを持たない手も大きく広げる

スイングするときは、ラケットを持っていない方の手も同じくらい広げましょう。カラダのバランスがとりやすくなり、強いボールを打つことができます。

テクニック 07

PART1 ▶ ストローク

バックハンドの打点

バックハンドでボールを打つときに力が入るところをおぼえよう

これができる

片手でも両手でも力が入ったところでボールが打てる

コツ

❶力が入るところを見つける

❷カラダのよこで打たずまえで打つ

当たった瞬間、ラケットの面をまっすぐボールに当てる。

いちばん力が入るところでボールを当てよう

バックハンドストロークの打点（ラケットの面の位置と向き）は、両手打ち、片手打ちのどちらのばあいでも、いちばん力が入るところでインパクトする（ボールが当たる）ようにしましょう。

力が入る位置はカラダの横ではなく前になります。片手打ちのばあいは、ラケットの面が上を向かないように打ちましょう。

コツ 1

ラケットの面をおさえてもらい力が入るところを見つけよう

力が入るところを見つけるためには、ボールのかわりにともだちにラケットの面を手でおさえてもらいましょう。いちばん力が入ると思ったところが打点になります。

コツ 2

カラダのよこで打たずまえで打つ

バックハンドを打つばあい、打点がカラダのよこにならないようにしましょう。カラダのよこで打つとボールが遠くへ飛ばないので、まえで打つようにしましょう。

NG

片手で打つときラケットが上をむかないように

片手で打つときは、ラケットのヘッド（先）が上を向かないようにしましょう。上を向いてしまうと、力が入らず、強いボールを打つことができません。

テクニック 08

PART1 ▶ ストローク

バックハンドのテイクバック

カラダをしっかりターンさせすばやく準備をする

これができる

カラダをターンさせて準備ができる

コツ

❶テイクバックをしながら移動する
❷片手打ちであっても両うでを動かして打つ

テイクバックは早めに準備をしよう。

早めにテイクバックしてしっかりとカラダをひねる

バックハンドはフォアハンドとちがい、支点の肩が前にあるので、大きくカラダをひねってテイクバックしないと打つ準備が十分にできません。ボールが落ちてくるところを見きわめて、移動しながらテイクバックして、打つときにはテイバックは終わらせておきましょう。肩ごしにボールを見るくらい大きくカラダをひねって、力強いボールをバックハンドからでも打てるようにしましょう。

コツ 1

テイクバックをしながら移動する

テイクバックをしながら打つポジションに入れるようにしましょう。ポジションに入ってからテイクバックすると、振りおくれる原因になります。

コツ 2

片手打ちであっても両うでを動かして打つ

片手で打つときは、ラケットを持つ手だけを動かしても、打つ力が弱くなってしまいます。ラケットを持たない方の手は、スイングとは反対側に大きく動かせるようにしましょう。

NG

カラダのひねりが足りないと強いショットが打てない

両手打ちのばあい、肩ごしにボールが見えるようでないと、カラダのひねりが足りません。強いボールを打ちかえすことができるようカラダをひねりましょう。

下から上へ大きくスイングする意識で打つ

これができる

高い位置でフィニッシュできる

コツ

❶飛ばしたい方へおへそを向ける
❷カラダのバランスをくずさずに打つ

大きく下から上へフォロースルーをする。

最後は高い位置でラケットを振りおえる

バックハンドのフォロースルーは、ラケットで大きな円を描くように振りましょう。

そして、下から上へとスイングしていき、なるべくラケットが高い位置にくるように振りおわりましょう。

また、自分が打ちたい方へラケットが向くように意識して、フォロースルーをしましょう。

コツ 1

ボールを飛ばしたい方へおへそを向けよう

きれいなフォロースルーをするには、おへそを意識しましょう。スイングするときによこを向いたおへそをボールが飛ぶ方へ向けるときれいなスイングができます。

コツ 2

カラダのバランスをくずさずに打つ

打ちたいという気持ちが強すぎると、打ちにいくとき、カラダがまえへ突っ込んでしまうことがあります。カラダのバランスがくずれないように気をつけましょう。

NG

フォロースルーが小さい

フォロースルーが小さいと、力強いボールが打てません。ショットも不安定になり、ねらったところへボールを打てなくなるので気をつけましょう。

スピン

ラケットを下から上に振りぬいてボールに回転を与える

これができる

ボールに力強く順回転を与えられる

コツ

❶下から上へ力強く振りぬく
❷手の力だけで回転をかけない
❸高い軌道でボールを飛ばす

コツ 1

下から上へ力強く振りぬく

①ボールの下にしっかりとラケットを準備する。

②ラケットを下から上へ振り上げる。

バウンドしてから大きく弾むボールが打てる

ボールに順回転をかけるのがスピンです。軌道の高いボールを打つことができて、ネットを安全に通すことができます。さらにボールをネットを越えてから落とすことができるのでアウトもしづらいボールが打てます。弾んでから大きく弾むため相手のバランスを崩すこともできるショットになります。ロブなどのテクニックにも応用が利きます。

③手の力だけで回転をかけようとせず下半身の大きな力を使いましょう。

コツ2

手の力だけで回転をかけない

回転をかけようと手首をかえしすぎると、うまく順回転がかからない。

コツ3

高い軌道でボールを飛ばす

スピンがかかったボールは、バウンドしたあとに、のびるように飛んでいきます。攻撃的でコントロールしやすいボールになります。

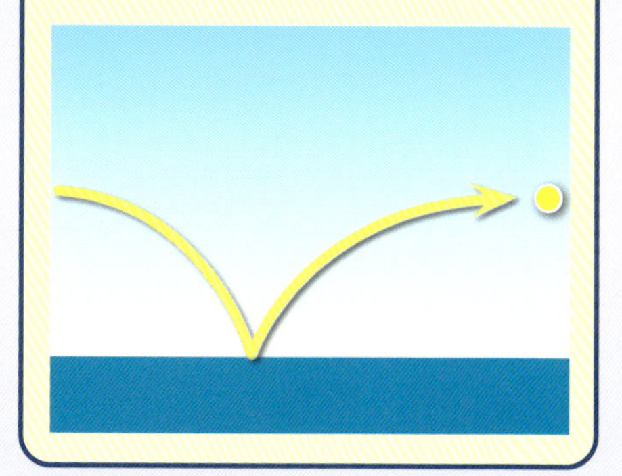

スライス

ボールに逆回転を与えて弾まないボールを飛ばす

これができる

低い軌道でボールを飛ばす

コツ

❶ボールの下がわをこするように打つ
❷打ち終わったあと、ラケットが下がらない
❸低くて弾まないボールを打つ

コツ 1

ボールの下がわをこするように打ち逆回転をかける

①打つ位置よりも少し高い位置でテイクバックする。

②逆回転をかけるには、ボールの下がわをラケットでこするように打つ。

相手の打ちにくいショットを打とう

ボールに逆回転をかけることをスライスといいます。ボールに逆回転を与えることで、バウンドしてからあまり弾まないので、ゆっくりボールを飛ばしても相手に打ち込まれにくくなります。ボールに変化を与えて相手のミスを誘ったり、ディフェンスのときにゆっくりとボールを返球したり、ドロップショットなどのショットに応用が利きます。

③ラケットのヘッドが下がらないようにフィニッシュする。

コツ 2

打ち終わったあとラケットが下がらないようにする

ラケットヘッドが落ちるとボールが浮いてしまうので注意しましょう。しっかりとレベルスイング（ラケットの高さ）を変えないことを意識してスイングしましょう。

コツ 3

低くて弾まないボールを打つ

スライスがかかったボールは、一度バウンドすると、あまり弾まず低いボールになるので、相手に打ちこまれにくくなります。

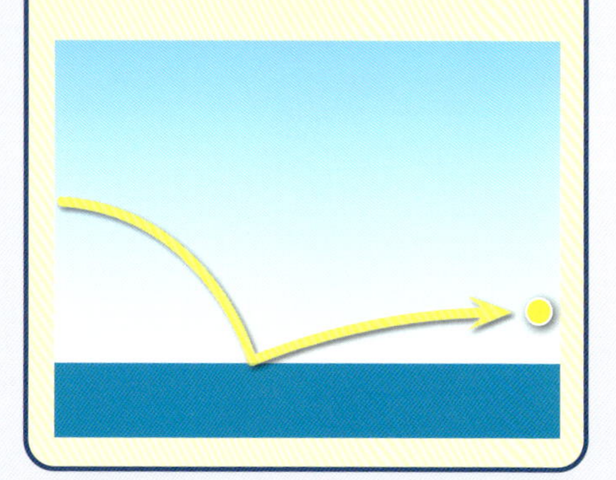

チャンスボール

浅く弾んできたボールを上からたたき込む

これができる

浅く弾んだボールを力強く打ち込める

コツ

❶高い位置にテイクバックをしてボールを上からたたくように打つ
❷バランスをくずさないように意識

コツ 1

ボールよりも高い位置にテイクバックして上からたたく。

①高い位置にテイクバックする。

②ヒザの力を使って力強くラケットを振りにいく。

③力強くインパクトに向けてスイングする。

うまく打てればポイントをとりにいける

チャンスボールとは、相手のボールが浅く弾み、打ち込むことができるボールです。チャンスボールがきたら、ラケットを下から上へ振るのではなく、高い位置から下へむかってスイングします。強いボールを打つことができるため、得点につながりやすいです。決まれば試合を有利に進められます。

バランスをくずさないように意識しよう

力が入ってしまうあまり、スイングといっしょに顔もうごいたり、カラダのバランスをくずしやすいので気をつけましょう。せっかくのチャンスなので、バランスを意識しましょう。

④上から下へ振りおろす。

⑤フォロースルーする。

⑥打ち終わったあともバランスをくずさない。

アプローチ

短いボールに対してネットぎわへ移動しながらボールを打つ

これができる

ネットに移動しながら打つことができる

コツ

❶ネットぎわへ進みながら打つ。
❷そのまま打ったほうへ進む。

コツ 1

ネットぎわへ進みながらボールを打つ。

①ボールに反応して準備をする。　②テイクバックする。　③まえに移動しながらボールを打つ。

短いボールを見逃さずボレーにいく

アプローチはネットに出ていくためのショットです。

通常のストロークはしっかり止まって打ちますが、アプローチショットは、すこしでも速く前につめることが大切なので、前に動きながらボールを打つようにします。すこしでも速く前につめて、次のボレーのショットにつなげて行きましょう。

打ちながら移動しないと相手のチャンスになる

アプローチは移動しながらボールを打たないと、まえにつめる動作が遅くなります。その場で止まったままでは、次のボレーがネットから遠くなり、難しくなってしまいます。

コツ 2

そのまま打ったほうへ進む。

④打ったあとも移動をつづける。

⑤打った方向へ進む。

⑥相手の次のボールへそなえる。

ロブ

山なりに大きく飛ぶボールを打ち相手のバランスをくずす

これができる

ヒザをバネのように使い大きなロブが打てる

コツ

❶下から上にスイングして打つ
❷スイングと一緒にヒザを伸ばす

コツ 1

下から上にスイングして打つ

①ヒザを曲げてテイクバックする。

②スイングをはじめる。

③下から上へスイングする。

時間かせぎや相手のすきをつくのに有効

ロブ（またはロビング）とは、山なりに飛ぶ大きなボールのことです。相手がネットの近くまでつめてきたときに、相手の頭の上をとおりこすように打ちます。また、高く弾ませて、相手のバランスをくずしたり、自分がコートのはじのほうにいて、中央へもどる時間がないばあい、ロブを打って、時間をかせいだりするときに有効なショットです。

コツ 2
スイングと一緒にヒザを伸ばす

ロブはふつうのショットよりも下から上にスイングをします。そのため、カラダ全体を使い、なるべくテイクバックのときにヒザを曲げて、スイングと一緒に伸ばします。

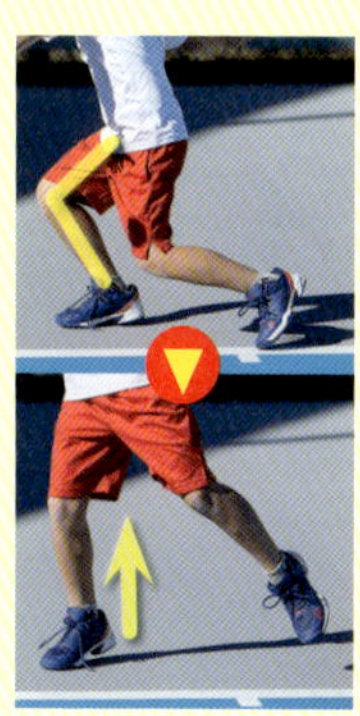

④曲げていたヒザをしっかりと伸ばす。

⑤大きくラケットを振りぬく。

⑥フォロースルーをする。

テクニック
15

PART1 ▶ ストローク

ライジングショット

ボールが上がりきるまえにすばやくボールを打つ

これができる

上がりぎわのタイミングでボールを打つことができる

コツ

❶ボールが上がりきるまえに打つ。
❷いつもより小さくテイクバックする。

コツ 1

ボールが上がりきるまえに早めに打つ。

①相手やボールをよく見る。　②テイクバックする。　③ボールが上がりきるまえに打ちはじめる。

ボールの上がりはじめを打つショット

ライジングショットは、ボールが上がりきる前にボールをとらえて打つショットです。タイミングが早く、相手のボールの力を利用して返すので、少ない力で大きな力を生みだすことができ、相手の時間を奪うこともできます。力がない人でも、タイミングの早さで、相手にスピードがあると感じさせるショットを打つことができます。

いつもより小さくコンパクトにテイクバックをする

ボールがバウンドしてからすぐに打つので、テイクバックは通常よりも小さくコンパクトにおこなうようにしましょう。

打つタイミングはバウンドして上がりきるまえになります。

④ボールの上がりはじめを打つ。　⑤コンパクトにスイングする。　⑥フォロースルーをする。

テクニック 16

PART1 ▶ ストローク

ドロップショット

スライス回転で短いボールを落とし相手のバランスをくずす

これができる

ネットぎわにやわらかくボールを落とす

コツ

❶スライス回転でやわらかく打つ

❷ヒザを使ってタマゴをキャッチする感覚で打つ

コツ 1

スライス回転でやわらかく打つ

①ボールを見て打つ準備をする。

②すこし高めにラケットをセットする。

③ステップインしながらスイングを開始する。

スライス回転をかけて打つショット

ドロップショットは、相手のネットぎわに、短いボールを落とすショットです。やわらかくボールを打ち、ネットぎわに落とすことで、相手のバランスをくずします。

ボールを強く打たなくても、チャンスボールを打つのと同じくらいの効果があるショットです。打つときは基本的にスライス回転（p50）で打ちます。

コツ 2
ヒザを使ってタマゴを手でキャッチする感覚で打つ

ラケットの面でタマゴをキャッチするような感覚でボールにやさしくふれるようにスライス回転で打ちます。

ラケットを使わずに手でボールをキャッチして、感覚をおぼえましょう。

④やさしくボールを打つ。　⑤スライス回転をかける。　⑥フォロースルーしたラケットを高い位置でキープする。

ボレーとは？

ボレーはスピード感のある攻撃ができ、強力な武器になります。さまざまなボレーの技術を学びましょう。

ボレーはどんなショット?

ボレーとは、相手が打ってきたボールを、ノーバウンド（ボールを自分のコートでバウンドさせない）で打ちかえすショットです。バウンドするまえに打つので、相手が打ちかえしてくるまでの余裕をあたえないで、すきをつくることができる、とても攻撃的なプレーです。

ボレーのおもな種類

ボレーには、高い位置や足下など、ボールを打つときの高さによって、いくつかの種類があります。

ローボレー

足下に落とされたボールに対して低い位置から打つボレーです。

→72ページ

ハイボレー

高い位置のボールをかえすボレー。チャンスボールになりやすいです。

→74ページ

高い位置でのハイボレー

頭の上をぬいてくるような高いボールに対するボレーです。

→76ページ

ドライブボレー

ストロークのようなスイングでノーバウンドで打つショットです。

→78ページ

ハーフボレー

足下にきたボールをバウンドさせてかえすショットです。

→80ページ

アングルボレー

ネットぎわで角度のあるボールを打つボレーで、相手のすきをつきます。

→82ページ

テクニック 17

PART2 ▶ ボレー

フォアボレー

ラケットの面を打ちたいほうへ向けコンパクトなスイングで打ちかえす

これができる

フォアハンドがわでボレーが打てる

コツ

❶フォアがわにきたボールを打つ
❷手でキャッチする位置で打つ
❸打ちたいほうへラケット面を向ける

コツ 1

ノーバウンドでフォアがわにきたボールを打つ

①なるべくテイクバックは小さくおこなう。

②自分からステップしてボールを打つ。

ラケットは大きく振りすぎない

フォアボレーは、ラケットを持つがわへきたボールをノーバウンドで打ちかえすショットです。コンパクトなテイクバックを心がけて正確にボールをとらえるようにしましょう。ラケットの振りでボールの強弱をコントロールするのではなく、ステップの強弱でボールを飛ばすようにしましょう。

③フォロースルーする。

コツ 2 手でキャッチする位置で打つ

きれいに打つには打点の位置がたいせつです。ラケットを持たずに手でボールをキャッチしたときの手の位置が目安になります。じっさいにボールを手でキャッチして確認しましょう。

コツ 3 打ちたいほうへラケット面を向ける

ボールを打ちたいほうへラケットの面を向けるように最後まで振ると、ねらったほうへ飛ばすことができます。面がちがうほうを向くとうまく飛ばないので気をつけましょう。

テクニック 18

PART2 ▶ ボレー

バックボレー

無理にスイングせずにラケットの面を打ちたいほうへ向けて打つ

これができる

バックハンドがわでボレーが打てる

コツ

❶無理にスイングしないで打つ

❷片手打ちは左うでと右うでを同じ高さに上げてフォロースルー

コツ 1

無理にスイングせずに打ちたいほうへ面を向ける

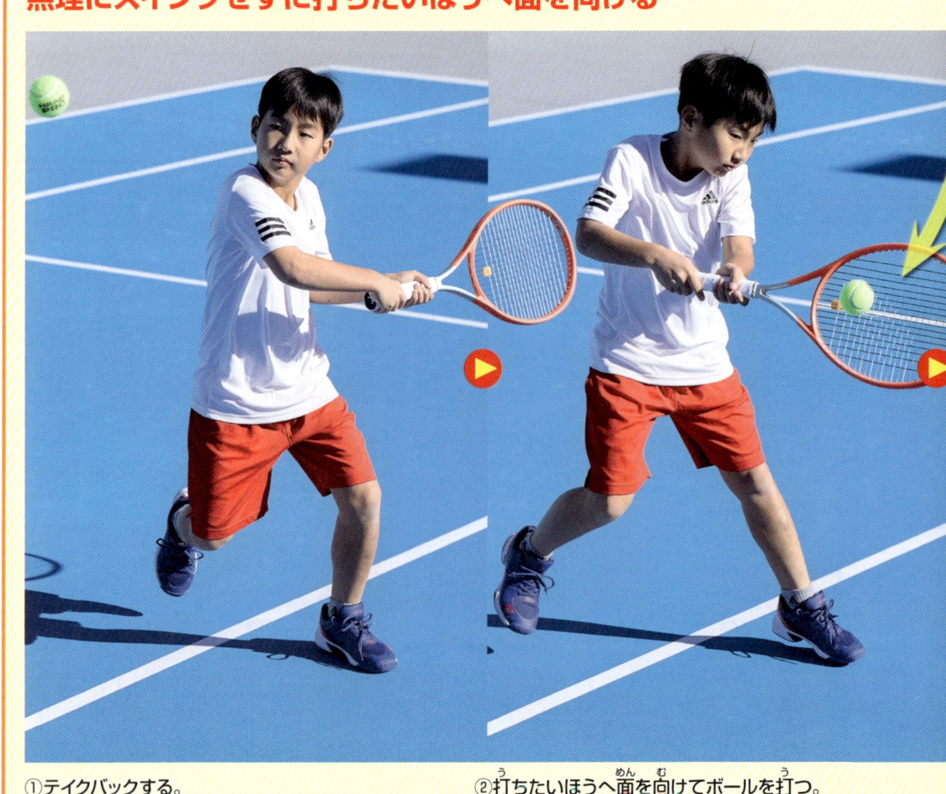

①テイクバックする。

②打ちたいほうへ面を向けてボールを打つ。

打ちたいほうへ面を向け フォロースルー

バックハンドのボレーは、力が出ないのでラケットのヘッドを動かそうとしてしまいがちですが、無理にスイングして強いボールを打とうとしないようにしましょう。そして打ちたい方向にしっかりとフォロースルーしましょう。

両手打ちのばあいは、左手でフォアボレーを打つような気持ちで打つと安定します。

③フォロースルーする。

コツ2

片手打ちは左うでと右うでを同じ高さに上げる

片手打ちのばあい、ラケットを持たないほうのうでも、同じ高さまで上げてフォロースルーしましょう。左うでと右うでで高さが違うと、うまく打つことができません。

NG

ヘッドが下を向くとボールが上へ飛んでしまう

フォロースルーのときに、ラケットのヘッド（先端）が下に落ちないようにしましょう。ラケットヘッドが下に落ちるとボールが上に飛んでしまうので気をつけましょう。

ボレーのステップ

2歩のステップを使ってボレーを打ちにいく

これができる

ステップでボールの打ち分けができる

コツ

❶深く飛ばすときは長めのステップ
❷速いボールに対しては短めのステップで対応する

2歩のステップを使って正確なボレーを打つ

ボレーを打つときは、まずラケットを持つほうの足を1歩めとしてステップし、ボールをとらえられる位置に正確に入ります。そして、2歩めのステップで、ボールの方向や強さを打ちわけます。2歩出すことで、正確なポジショニングとコントロールができるようになります。あとは、ステップの強弱でボールの力強さをコントロールしましょう。

コツ 1

深く飛ばしたいときは長めのステップをする

ステップの大きさと力強さで、ボールの強弱やスピードをコントロールすることができます。深くボールを飛ばしたいときは、長いステップをするといいでしょう。

コツ 2

速いボールがきたときは短いステップをする

速いボールが飛んできときは、短くステップをして、コンパクトに打ちかえしましょう。相手のボールに対してどのようにかえすか決めて、最初の1歩めのステップをしましょう。

NG

1歩でボレーを打ちに行かない

1歩めはかならず、ラケットを持つがわの足を出しましょう。1歩だけでボレーを打ちにいくと、打ちたい方向へボールを打ちづらくなり、次のボールへの戻りも遅くなってしまいます。

ボレーのスイング

ラケットを振(ふ)らずにラケットの面(めん)で壁(かべ)をつくりボールを打(う)ちかえす

これができる

打(う)ちたいところへボールをコントロールできる

コツ

❶左手(ひだりて)はフォアボレーのグリップで握(にぎ)る
❷ラケットの面(めん)で壁(かべ)をつくる

ラケットで壁をつくるようにスイングをする

ボレーでスイングをするときは、なるべく「振る」という動作をしないようにしましょう。「振る」のではなく、ラケットで「壁をつくる」ようにスイングをします。正確に壁をつくることができれば、安定したボレーを身につけることができます。また、ボールの位置よりもすこし高めにラケットをセットして、スライス回転でボールをコントロールしましょう。

コツ1

左手はフォアボレーを持つ打ち方で握る

バックハンドのボレーを両手でおこなうばあいは、ラケットの面でボールに対して壁をつくりましょう。左手はフォアハンドでボレーを持つ打ち方で握りましょう。

コツ2

高い位置でラケットの面で壁をつくる

ラケットは打つ位置よりすこし高めに準備して、ラケットヘッドはすこし立ててかまえましょう。ラケット面はすこしオープン（すこし上を向ける）にするといいでしょう。

NG

ラケットはなるべく振ったり動かさない

ラケットのヘッドはなるべく動かさず、振りすぎないようにしましょう。ラケットを振りすぎると、振り遅れるなど、ミスをする原因になります。

テクニック 21

PART2 ▶ ボレー

ローボレー

足下に落とされた低いボールを低い位置から打ちかえす

これができる

正確なファーストボレーが打てるようになる

コツ

1. 低い位置でボールを 打ちかえす
2. 長いステップで深いボールを出す
3. なるべく重心を低くして打つ

コツ 1

低い位置でボールを打ちかえす

①低い位置でラケットをセットする。

②長いステップでボールを打つ。

自分が次に有利になるように コントロールがたいせつ

足下に落とされた低いボールを打ちかえすボレーのことを、ローボレーといいます。ネットにつめるために打つファーストボレーを処理するまでに使われます。次に自分が有利になるように、ボールのコントロールが大切になるボレーです。低い位置にラケットをセットして、足を大きく広げるような長いステップで打ちます。

③フォロースルーする。

コツ 2 長めのボールを飛ばすには足を大きく広げるように出す

ファーストボレー（ネットにつめて、チャンスをつくるために打つボレー）は、基本的にネットから距離のある位置で打つことが多いです。そのため、遠くにボールを飛ばせるように、足を大きく広げ、長めにステップをしましょう。

コツ 3 なるべく低い位置にカラダをセットする

ローボレーを打つときは重心を低く落としましょう。低い姿勢をとっても上半身がたおれ込まないようにしっかり下半身で支えましょう。ボールの下に入ってからスイングを開始しましょう。

ハイボレー

肩より高く上がってきたボールを高い位置でボレーで打つ

これができる

高い打点でボールをとらえてボレーできる

コツ

❶高い位置にラケットを準備する
❷すばやく打つ準備をする

コツ 1 高い位置にラケットを準備する

①すばやく高い位置でテイクバックする。

②高い位置でボールをとらえる

浮いてきたボールを逃さずに決める

ハイボレーとは、自分の肩の位置よりも高い打点で打つボレーのことをいいます。高めに浮いてきたボールを振りすぎないように気をつけて、打ち込めるようにしていきましょう。振り遅れないように早めに準備をすることが大切です。高めのボールはチャンスなので、確実に決めに行きましょう。

③フォロースルーをする。

コツ2

すばやく打つ準備する

高めのボールが飛んできたら、早めにラケットをセットしましょう。すばやく高い位置にラケットをかまえることで、ボールを押さえることができます。

NG

ラケットのヘッドを大きく動かしすぎない

打ちに行こうとすると、どうしてもラケットを大きく振りすぎてしまいます。振り遅れたり、ミスヒットの原因になってしまうので、振りすぎには気をつけましょう。

高い位置でのハイボレー

バックハンド側の頭をぬく高いボールを打つハイボレー

これができる

バックボレーで高いボールを打ちかえせる

コツ

1. バックボレーで高いボールを打つ
2. ヒジを支点にして高い位置で打つ
3. 相手に背中を向けるほどターン

コツ 1 バックボレーで高い位置のボールを打つ

①飛びつく準備を開始する。

②目いっぱい高い位置に手を伸ばす。

高い打点でバックボレーを打つ

バックハンドがわに相手がロブで抜いてきたときに使うバックボレーのハイボレーです。下がりながら手を、目いっぱい高い位置に上げて、ボールをとりにいきます。相手に背中を向けるくらい大きくカラダをターンさせて、ヒジを支点にして、下から上にスイングします。頭の上を抜かれないように、下がりながらでも打てるようにしていきましょう。

③下から上にスイングする。

コツ2 ヒジを支点にすることで高い位置でスイングできる

高い位置でボールを打つには、ヒジを支点にしてスイングをするようにしましょう。ヒジを曲げてから、まっすぐに伸ばすことで、高い位置までうでがスイングできるようになります。

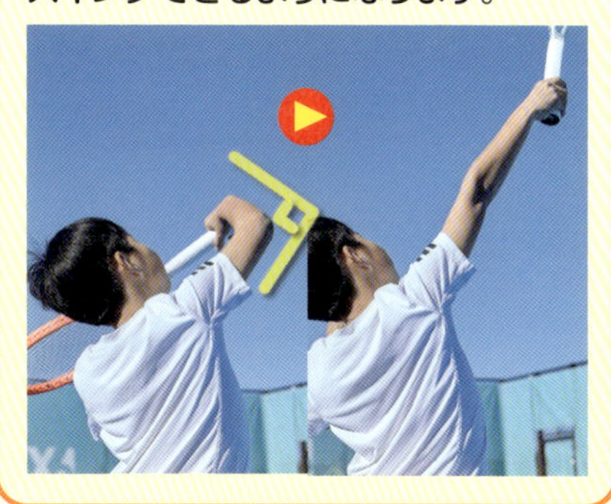

コツ3 相手に背中を向けるくらいターンする

ボールを打つときは、ラケットの位置がいちばん高いところでスイングが終わるようにしましょう。そのために背中を相手に向けるくらいまでカラダをターンするのがポイントです。

ドライブボレー

ストロークの動きをノーバウンドでおこなう強力なショット

これができる

一撃でポイントがとれる
強力なショットが打てる

コツ

❶ストロークのように打つ
❷コンパクトなテイクバックで打つ

コツ 1
ノーバウンドでストロークのように打つ

①高い位置でテイクバックをする。

②ボールに順回転を与えて打つ。

チャンスボールを打つような気持ちでスイングする

ドライブボレーとは、ストロークのうごきをノーバウンドでおこなうボレーです。とても攻撃的なスイングで、一撃でポイントがとれる強力なショットです。そのかわりに、ノーバウンドでストロークのスイングをするために、ミスヒットもおこりやすいので、気をつけましょう。チャンスボールを打つような気持ちで、高い位置でテイクバックをしましょう。

③フォロースルーをする。

コツ 2

コンパクトなテイクバックで大振りしないように打つ

テイクバックはなるべくちいさくコンパクトにおこないましょう。ノーバウンドのボールを打つので、大きくかまえすぎると、正確にボールを打てなくなってしまいます。

NG

カラダが開くとミスしやすい

力いっぱいラケットを振ろうとしてカラダが開いてしまうと、頭の位置や目線がぶれてしまうので、ミスヒットにつながりやすいので気をつけましょう。

ハーフボレー

足元にきたボールをバウンドさせてから打つボレー

これができる

バウンドさせたボールをボレーできる

コツ

❶足下にきたボールをバウンドさせてから打つ
❷重心を低くしてボールを打つ

コツ 1

足下にきたボールをバウンドさせてから打つ

①重心を低くかまえる。

②バウンドしたあとボレーのように打つ。

「タタン」という音のリズムで打つ

足下に飛んできたボールを、いちどバウンドさせたあとに、ボレーのように打ちかえすショットです。相手のコートにすばやくボールを打ちかえすことができます。ボールが上ってしまうと処理できないので、「タ」（ボールが弾む音）、「タン」（ボールを打つ音）。という音のリズムでタイミングをはかりましょう。

③フォロースルーをする。

コツ 2

重心を低くしてボールを打ちかえす

重心が高いと足下にきたボールをタイミングよく打ちかえすことができません。ボールの飛んでくる位置にすばやく移動して、重心を低くしましょう。

NG

バウンドの位置を正確に見きわめよう

すばやくボールのワンバウンドする地点を見きわめて、正確に判断しましょう。判断を誤ると、振り遅れなどのミスになります。

アングルボレー

角度をつけたボレーでポイントをとりにいくショット

これができる

角度をつけたボレーが打てる

コツ

1. ボールに角度をつけて打つ
2. ラケットの面をななめに出す
3. 打ったボールのほうへ進む

コツ 1

角度をつけて相手のいないところへボールを打つ

①テイクバックする。

②ラケットの角度をかえて打つ。

角度をつけてボレーを決めにいく

アングルボレーとは、角度をつけて打つボレーのことです。ネットの近くでボレーを打つときに、ラケットの面に角度をつけてねらった位置に打ち、相手のいないところにボールを打つときに使います。面の出しかたは、まっすぐではなく、すこしボールの外がわを打ち、角度をつけてボールを飛ばします。ポイントをとりにいくためのボレーです。

③フォロースルーをする。

コツ2
ラケットの面をななめに出してボールを打つ

このショットは正面ではなく、あえてコースをかえて打つので、飛んできたボールに対して、まっすぐ当てるのではなく、ラケットの面をななめに出して打ちかえしましょう。

コツ3
打ったボールのほうへ進み相手の攻撃を防ぐ

ボールを打ったあとは、コートカバーリングといって、打ったボールのほうにそのまま進みましょう。そうすると相手の次のショットのコースを防ぐことができ、有利になります。

スマッシュとは？

スマッシュはうまく打てればポイントをとれるショット。
かくじつに決めて点がとれるようマスターしよう。

スマッシュはどんなショット？

スマッシュとは、ロブ（山なりの高いボール、56ページ）のように高く上げられたボールを、上からたたきつけるように打つショットです。速くて強いボールが打てる、とても強力なプレーです。うまく決まれば、かくじつにポイントをとることができる一打になります。

スマッシュのおもな種類

飛んでくるボールの高さによって、ジャンプしたり、ワンバウンドさせてから打つなど、打ちかたがかわります。

ジャンピングスマッシュ

頭の上をこえるくらい高く飛んできたボールにたいして、ジャンプしながら打つスマッシュです。

→90ページへ

グランドスマッシュ

高く飛んできたボールを、ノーバウンドではなく、一度バウンドさせてから打つスマッシュです。

→92ページ

スマッシュの動作①

ボールの落下地点に移動してスマッシュの準備をする

これができる

正確にボールの落下地点に入れる

コツ

❶よこ向きになりカラダをセット
❷正確にボールの落下地点に入る
❸高い位置でボールを取る

コツ 1

よこ向きになりカラダをセット

①すばやくカラダをよこ向きにして、準備を開始する。

②高い位置でボールをとらえて、上からたたきつけるように打つ。

落下点に移動して高い位置で打つ

ロブのような高いボールが飛んできたら、スマッシュをねらっていきましょう。すばやくよこ向きをつくり、ボールの落下地点を予測して、準備しながら移動します。ボールの落下地点に入ったら、高い位置でボールをとらえましょう。正確な落下地点に入らないと打ちやすい位置で打てず、ミスしやすくなります。

③バランスをくずさず、フォロースルーをする。

コツ2 正確にボールの落下地点に入る

正確なボールの落下地点に入るということは、ラケットを持たない手で正確にボールをキャッチできる位置です。上げた手が正確にボールをキャッチできる位置に入りましょう。

コツ3 高い位置でボールを取る

スマッシュは高い打点で取れるようにしましょう。打点が低いと、上からボールを叩くことができず、ネットやアウトのミスの原因になります。

スマッシュの動作②

左右の手を入れかえる反動を利用して強力なスマッシュを打つ

これができる

力のあるスイングでボールを打てる

コツ

❶カラダの開きをおさえて打つ
❷ラケットを持たない手を高く上げる

ラケットを持たない手をしっかり上げて構えましょう。

両手を入れかえるようにスイングする

スマッシュは、なるべくボールが高い位置にあるときに打ちます。ラケットを下から上へ振り上げるため、左右の手を入れかえて、その反動を利用してスイングをします。

そのため、ラケットを持たない手をしっかりと上げ、ボールを打つときは、ラケットを持つ手と、持たない手を思いきり入れかえます。ラケットを持たない手を高く上げて構えましょう。

コツ 1

カラダの開きをおさえて打つ

スマッシュを打つとき、カラダが開かないように気をつけましょう。カラダが開くとバランスをくずしミスヒットの原因になります。打ち終わったあともバランスを保ちましょう。

コツ 2

ラケットを持たない手を高く上げる

ラケットを持たない手は高く構えられるようにしましょう。ラケットを持たない手が高い位置にあれば、ラケットを振っていく手と高い位置で入れかわります。

NG

手が下がっているとスイングが弱くなる

テイクバックをしたときに、ラケットをもたない手が下がっていると、ラケットを下から上に振り上げるときに、力が入らなくなってしまいます。打点も低くなるので注意しましょう。

テクニック 29

PART3 ▶ スマッシュ

ジャピングスマッシュ

うしろに下がりながらジャンプしてスマッシュを打つ

これができる

頭の上をこえるボールをスマッシュでかえす

コツ

❶うしろに下がりながら移動し、ジャンプしてスマッシュ

❷正面を向いたまま下がらない

コツ 1

うしろに下がりながら移動し、ジャンプしてスマッシュ

①頭の上をこえるボールがきたら、すぐにうしろに下がりはじめる。

②ボールの落下地点に入ったら、ジャンプの準備をする。

③ジャンプと同時にスイングを開始する。

地面を大きくけって高くジャンプする

ジャンピングスマッシュとは、頭をこえるくらい、高く上がったボールがきたときに、うしろに下がりながら移動して、ジャンプしながら打つスマッシュです。

ジャンプすることで、守るはんいを少しでも広くするのがねらいです。うしろに下がるときは、よこを向いてクロスステップで移動し、地面を大きくけって、高くジャンプしましょう。

コツ 2

正面を向いたまま下がらない

うしろに下がるときに、まえを向いたまま下がる「オーライバック」はやめましょう。うしろに下がりにくく、ジャンプするときも、バランスをくずしやすくなります。

④高い位置でボールをとる。 ⑤前がわの足で着地する。 ⑥打ち終わったらすぐにネットに戻る。

グランドスマッシュ

ボールをワンバウンドさせてから打つスマッシュ

これができる

バウンドしたボールをスマッシュで打つ

コツ

❶ボールをワンバウンドさせる
❷ボールを遠く長く打つことを意識する

コツ 1

ボールをワンバウンドさせてからスマッシュ

①ボールの高さを判断する。

②落下地点に入り、ワンバウンドさせる。

③スイングの準備をはじめる。

ワンバウンドさせたボールをスマッシュする

グランドスマッシュとは、ワンバウンドさせたボールを打つスマッシュです。大きく深いロブがきて、落下速度が速いときは、一度ボールをバウンドさせましょう。一度バウンドさせればボールの威力がなくなるので、そこをねらってスマッシュします。ワンバウンドさせたら、あとはふつうのスマッシュと同じように打ちます。

コツ 2
ボールを遠く長く打つことを意識する

ワンバウンドさせるので、写真のように、ふつうのスマッシュよりもうしろから打つことが多いです。いつもよりも遠く長く打つことを意識すると、ミスがすくないです。

④上からたたくように
ボールを打ちにいく。

⑤遠くに飛ばすことを意識して打つ

⑥フォロースルーをする。

サーブとは？

自分でボールを上げてから打つことができるショットで、得点につながりやすいので、きれいなサーブをマスターしましょう。

サーブとはどんなプレー？

サーブ（サービスともいいます）は、テニスの試合で、いちばんはじめに打つショットで、サーブからポイントがはじまります。自分でトス（ボールを手で上へ投げる）をしてから打つことができるので、なるべく良いサーブをして、試合の主導権を握るようにしましょう。

サーブのおもな種類

打ちかたによって、回転をかけることができます。おもに３種類の変化をマスターしましょう。

フラット

ボールに対してラケットをまっすぐ当てて、スピードのあるショットを打ちます。

→102ページ

スライス

ラケットの角度をかえて打ち、回転をくわえて、ボールの動きを変化させるショットです。

→104ページ

スピン

すこし山なりに飛ぶような回転をかけます。安定したサーブが打ちやすいです。

→106ページ

試合時のサーブの打ちわけかた

サーブは１度ミスしても、２回まで打つことができます。１球めと２球めで打ちかたをかえてみましょう。

ファーストサービス（1球め）

１球めはサービスエース（サーブで得点すること）をねらって、強くて速いフラットサービスを打つと効果的です。

セカンドサービス（2球め）

２球めはミスをしないように、確実にコートに入れられるスピンサービスやスライスサービスを打つと効果的です。

テクニック 31

PART4 ▶ サーブ

トスの上げかた

手に持ったボールをまっすぐ上げて正確なサーブへつなげる

これができる

打ちやすいところに正確なトスを上げる

コツ

1. 目印を置いてトス練習する
2. 手のひらの上にボールをのせてまっすぐに上げる

自分の打ちやすいところへまっすぐに上げる

正確なサーブをするためには、しっかりトスをおこないましょう。トスとは、手に持ったボールを上にあげることです。ボールを持つうでをまっすぐ伸ばして、ボールは握らないようにしましょう。そして、手のひらにのせて、自分の打ちやすいところへまっすぐ上げます。なるべく高いところからサーブをするといいので、練習のときに、自分が打つ高さを確認しましょう。

コツ 1

目印を地面に置いてトスの練習をする

トスを落とす場所にターゲットをつくって、ターゲットに正確にボールを落とせる練習も効果的です。正確なトスアップは、ショットの安定につながるので、トスアップの練習もしましょう。

コツ 2

手のひらにボールをのせてトスをする

トスをするときは、手のひらにボールをのせます。よけいな力を入れないで自分の打ちたい位置へ上げましょう。力を入れてボールを握ると、トスが不安定になるので気をつけましょう。

NG

ボールがまっすぐ上がらないとサーブが不安定になる

写真のように、まっすぐではなく、うでが曲がって、よこやうしろにボールを投げてしまうと、正確なサーブが打てません。まっすぐ上げましょう。

テクニック 32

PART4 ▶ サーブ

ためをつくる

壁をつくるポーズからヒザを使い体重移動とともに振りぬく

これができる

強いサーブを打つ準備ができる

コツ

1. トロフィーポーズでためをつくる
2. ヒザを曲げて力をためる
3. 上半身をしっかりとひねって打つ

サーブを打つまえに、トロフィーポーズでためをつくる。

じゅうぶんな「ため」をつくって強いサーブを打つ

サーブを打つ直前にこれからサーブを打つぞという「ため」をつくることが大切です。一瞬、トロフィーのポーズのような形になるため、トロフィーポーズと呼ばれます。ラケットを持たない手を高く上げ、バランスをキープして、ヒザを曲げてカラダをひねっている状態をつくりましょう。このようなためをつくってから打つことができれば、力強いサーブが打てるようになります。

コツ 1

トロフィーポーズの形をつくる

トスのあと、優勝トロフィーの上にのっている人形のようなポーズ（トロフィーポーズといいます）をします。このポーズからショットを打つと、威力のあるボールが打てます。

コツ 2

ヒザを曲げて下半身の力をためる

打ちにいくときヒザを曲げます。ヒザを伸ばすときに体重をまえへ移動させましょう。いかにヒザに下半身の力をためこみ、体重移動できるかが強いサーブを打つかぎです。

コツ 3

上半身をしっかりとひねって打つ

上半身のひねりも速い強いサーブを打つにはたいせつです。よこを向いている胸が打つときに正面を向くようにしましょう。

振りぬき

インパクト後もヒジを高い位置で保ちラケットを振りぬく

これができる

高い位置でボールを打つことができる

コツ

1. 遠投するようにラケットを振る
2. ラケットヘッドがかえるように振りぬく

打点が低くならないようになるべく高い位置でボールを打つ。

高い打点で正確にラケットにインパクトさせる

「ため」をつくってから、サーブを打つときは、正確にラケットにインパクトさせることがたいせつです。ラケットは下から上に持ってくるように、スイングし、腕をしっかりと伸ばしてなるべく打点が高い位置でボールを打ちましょう。ヒジが低い位置だと、ボールも低くなり、ネットしやすくなります。打ったあともヒジを高い位置に保ちましょう。

コツ 1

遠投するようにラケットを振る

ラケットを振りぬくときは、野球の遠投をするようなイメージになります。うまく振りぬけないときは、じっさいに遠投をして確認しましょう。

コツ 2

ラケットヘッドがかえるように振りぬく

ボールをとらえてからラケットヘッドを先行させて振りぬいていくことで、高い打点でボールをとらえられます。ラケットヘッドを先行させて軌道の高いボールを打てるようにしましょう。

NG

打点が低いとサーブが安定しない

ラケットヘッドが先行した振りぬきにならないと、ヒジが落ちて打点が低くなります。打点が低いと、ネットやアウトをしやすくなってしまいます。

テクニック **34**

PART4 ▶ サーブ

フラットサービス

ボールに対してまっすぐ打つ 速くて強いサーブ

これができる

スピードのあるサーブが打てる

コツ

❶1球めのサーブで打つと効果的

❷ボールに対してラケットをまっすぐ当てる

コツ 1

速いフラットサービスは1球めに打つと効果的

①ねらいを決めてサーブの準備をする。

②トスを上げる。

③下半身でためをつくる。

エースを狙えるもっとも スピードの出るサーブ

フラットサービスとは、回転をかけずに、ボールに対してラケットをまっすぐに当てていくサーブです。とてもスピードが出ますが、プロ選手でも成功する確立は10本のうち、6本くらいです。そのかわりサービスエース（サーブで点を取ること）を取りやすいです。サーブは2回打てるので、最初のサーブ（ファーストサービス）で使うといいでしょう。

コツ 2

ボールに対して ラケットをまっすぐ当てる

ラケットはボールに対してまっすぐに当てましょう。また、なるべく高い位置でボールを打つとサーブの確率を上げることができます。

④高い打点でボールを打つ。

⑤ヒジを支点にして、ラケットを振りぬく。

⑥そのままフォロースルーをする。

テクニック 35

PART4 ▶ サーブ

スライスサービス

ラケットをななめに振(ふ)りボールによこ回転(かいてん)をかけて打(う)つ

これができる

よこ回転(かいてん)のスライスが打(う)てる

コツ

❶ボールに回転(かいてん)をかける

❷ラケットをななめに振(ふ)る

コツ 1

ボールに回転(かいてん)をかけて打(う)つスライスサーブ

①サーブを打(う)つ準備(じゅんび)をする。

②トスを上(あ)げる。

③トロフィーポーズでかまえる。

ボールに変化を与える相手が取りにくいサーブ

スライスサービスは、ラケットでボールを打つときによこ回転を与えることで、ボールに変化を与えるサーブです。

コースによっては、ワンバウンドしたあとに、ボールをコートの外に追いやるができ、相手が取りにくいサーブにもなります。また、バウンドしたあと、高く飛ばなくなり、低く弾んでいくのもとくちょうです。

ラケットをななめに振りボールを削るように打つ

ボールを打つときは、写真のように、ボールに対してななめにラケットを振ります。そして、ボールのよこを削るように打ちます。

④ボールに対してラケットの面をななめにして打つ。

⑤そのままラケットをななめに振りぬく。

⑥フォロースルーをする。

テクニック **36**

PART4 ▶ サーブ

スピンサービス

ボールに順回転をかけて安定したボールを打つ

これができる

ボールに順回転をかけることができる

コツ

❶下から上に力強くスイングする
❷ラケットを投げるイメージで打つ

コツ 1

ラケットを下から上に力強くスイングする

ポイント
スピンのばあい、トスは頭のうしろの方へ上げる

①トスを上げる。

②トスをすこし頭のうしろの方に上げる

③下から上へラケットを振り上げる。

セカンドサーブに使う安定したサーブ

スピンサービスはトスを頭のうしろの方へ上げて、下から上にスイングしてボールに順回転を与えるサーブです。軌道が高く、ネットの高い位置を通り、回転の影響でボールも落ちるので、安全に入れたいセカンドサーブに使います。また、サーブの速度は速くなくても、落ちてからボールが高く弾むので、相手に打ち込まれにくいサーブにもなります。

コツ 2

ラケットを上に投げるイメージで打つ

下から上へスイングします。ボールに順回転を与えるためには、打ったラケットを離したら、そのまま上に投げるようなイメージで打ちましょう。

④ボールを下から上に向かって打つようにスイングする。

⑤そのままラケットを上に投げるようなイメージで振る。

⑥フォロースルーをする。

コーディネーショントレーニング

さまざまなトレーニングの中でも、運動神経の働きを高め、テニスがうまくなるコーディネーショントレーニングを紹介します。

テニスがうまくなるトレーニングとは？

小学生のうちは、テニスの技術練習だけでなく、運動能力を高めることも大事です。試合では、練習のときに打ったことがないボールが飛んでくるからです。そこで、神経がいちばん発達する小学生の時期は、運動神経を高めるトレーニングも行いましょう。テニスの動作につながり、どんなボールにも対応できるプレーヤーになれるでしょう。ここでは運動神経を高めるコーディネーショントレーニングをいくつか紹介します。

トレーニングの例

ボールやラケットを使って、お友だちといっしょにおこなうことができるトレーニングを紹介します。

手足の神経を協調させる

2人1組でボールを使い、手と足の神経を協調させるトレーニングです。→110ページ

反射神経を高める

ボールを使って、すばやく反応する能力を高めるトレーニングです。→112ページ

空間認識力を高める

ボールをとったり、打ったりして、距離感をつかむトレーニングです。→116ページ

colmun

コーディネーショントレーニングとは？

人間は幼児期から成長期にかけて、神経の働きがもっとも伸びます。いろいろな動きを経験することで、運動神経を高めます。その運動神経を高めるトレーニングをコーディネーショントレーニングといいます。

テクニック 37

PART5 ▶ 基礎力アップのためのトレーニング

手足を強調させるトレーニング

相手の投げるボールに反応し手と足をいっしょに動かす

メニュー 1

相手が左右交互に投げたボールを片手でキャッチする

①Bが両手に持つボールを左右交互に投げ、それをAが片手ずつキャッチ。サイドステップで移動します。
②ボールをキャッチしたら、今度は同じように相手にかえします。リズムよく行いましょう。

手と足をうごかしてボールをキャッチ

2人1組になり、最初は1人が両手にボールを持ちます。交互に片手ずつボールを投げ、もう1人がそのボールに反応して、左右片手ずつでキャッチします。それをまた相手にかえします。

回数：2球ずつ×5回　**人数**：2人
ポイント：メニュー2のように足や手をクロスさせると試合に近い動きでトレーニングできます。

①Aは手をバックハンドのようにキャッチし、足をクロスした状態でキャッチします。
②Bは左右交互にボールを投げます。Aはかならず反対がわに手と足をクロスさせましょう。

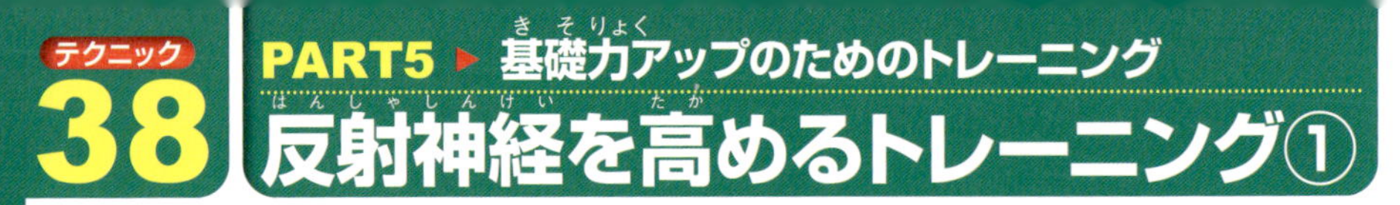

反射神経を高めるトレーニング①

ボールの動きを目で確認してすぐに反応して動きだす

メニュー1

うしろから飛んできたボールを移動してキャッチする

①Aは腰を落として、すぐに動ける姿勢でまちます。そして、Bがうしろからボールを投げます。
②Aはボールが飛んできたのを確認したら動きだし、ボールをキャッチします。

ボールをキャッチするトレーニング

ボールを使って反射神経をきたえるトレーニングです。メニュー1はうしろからボールを投げてもらい、確認してからキャッチします。メニュー2は相手が両手に持つボールのどちらかを落とし、それをキャッチします。

回数：10回　**人数**：2人

ポイント：どちらもボールを見てから動きだすので、反射神経がきたえられます。

メニュー2

相手が落としたボールをキャッチする

①Aが両手にボールを持ちます。Bは、そのうえに手をおきます。

②どちらか1つのボールをランダムに落とします。Bは落ちたボールと同じほうの手でキャッチします。

反射神経を高めるトレーニング②

飛んでくるボールに反応してすばやく正面でキャッチするトレーニング

メニュー1

前後に出されたボールを正面でキャッチ

①コートの前後にランダムにボールを出してもらいます。そのボールの正面に移動して両手でキャッチします。
②うしろに出されたボールもいそいで正面にまわり、キャッチすること。

ノーバウンドでボールをキャッチ

ノーバウンドで飛んできたボールを、正面にすばやく回って両手でキャッチするトレーニングです。必ず両手でとることで、正確にボールをキャッチするポジションに移動することが意識できます。

回数：10回　**人数**：1人
ポイント：さまざまなボールに対応する俊敏性と、ボールへ反応する力を高めるのがねらいです。

①コートの左右にランダムにボールを出してもらいます。なるべく取りにくいところに出してもらいましょう。ボールはかならず正面にまわって両手でキャッチします。

空間認識力やタイミングを合わせる力をきたえる

メニュー1

ハーフバウンドのボールを処理するトレーニング

①ネットの近くに立ち、ボールをフォア、バックさまざまなところに出してもらいます。
②ハーフバウンド（バウンドしたボールが上がりきるまえ）で打ちます。「タタン」のリズムで打ちましょう。

ラケットを使ったトレーニング

メニュー1は、ボールの落下点をよそくして、低い位置でハーフバウンドで打ちます。メニュー2はその場でジャンプしてボールの一番高い位置でタッチします。どちらも空間認識とタイミングをあわせる力を高めます。

回数：10回　人数：1人
ポイント：ショットの練習ではなく、テニスの動作につながる能力を高めるトレーニングです。

メニュー2

ボールが一番高く上がったところをタッチするトレーニング

①ボールを頭の上に出してもらいます。ボールがいちばん高く上がったところにタイミングよくジャンプして、ボールにタッチします。ジャンプするタイミングがたいせつです。

練習の意義

**練習をするときは試合を想定しておこないましょう。
ここでは、基本となる練習方法を紹介します。**

練習するときに気をつけることは？

練習するときにたいせつなことは、試合を想定して行うことです。普通に練習するよりも、「このボールを取れたら勝ちだ」と考えて練習したほうが、効果が大きくちがいます。そういう意識を持ちながら練習をたくさんして、はじめて試合に通用するショットが打てるようになります。

練習方法の例

テニスにはさまざまな練習方法があります。自分に合った練習をおこないましょう。

球出し練習

コーチに球出しをしてもらって、基礎や、パターン練習をおこないます。

→ 120 ページ

ラリー練習

相手と打ち合って、試合でラリーができるようにしていきます。

→ 132 ページ

サーブ練習

ターゲットを狙ったり、遠投でサーブの動作を覚えたりします。

→ 130 ページ

ポイント練習

試合を想定して、いろいろなパターンで相手と競い合う練習です。

→ 136 ページ

基本的なテクニックを球出し練習で身につけよう

①センターマークの位置からスタートして、球出しをしてもらいます。
②打ったらすぐ元の位置に戻り、コートカバーの動きを身に付けます。

反復して同じボールを打つ練習

どの位置にボールがきても、しっかりと動いて、いつも同じ打点でボールが取れるようになるための練習です。打ったら真ん中に戻る動きと、左右の動きを練習しましょう。

回数：6〜10球ずつ　**人数**：1人
ポイント：基本的なテクニックを身につけるのがねらいです。

メニュー2

左右に動いて打つ練習

①センターマークからスタートして、左右に球出しをしてもらいます。
②左右にボールを出してもらい交互に打ちます。

球出し練習（前後）

前後に動いて毎回よい打点で打つための練習

メニュー1

前後に移動して打つ練習

深いボールが来ても、浅いボールが来ても、しっかり打ちやすいところまで移動して、毎回同じ打点でボールを打つ。

前後に移動してストローク

前後に移動してストロークを打つ練習です。左右だけでなく、前後に移動して打つことも大切です。毎回同じ打点で打てるようにしっかりと動きましょう。

回数：6球～　**人数**：1人
ポイント：どこにボールが来ても正確にポジションに入れるようになるための練習。

①いろいろな位置にボールが来てもしっかり動いて、いつも同じ打点でボールを打ちましょう。
②動かされてもバランスを崩さないように。

テクニック 43

PART6 ▶ 技術力をアップする練習方法

球出し練習（パターン）

攻撃的なプレーができるようになるための練習をおこなう

メニュー1

回り込んでフォアで打ったあと、チャンスボールを打つ

①バックハンドで打つのではなく、積極的に回り込んでフォアハンドで打ちます。
②攻撃をしかけてつくったチャンスボールを打ち込みます。

自分から攻めるプレーを練習しよう

積極的に攻めていけるよう、攻撃ができるように練習をします。フォアハンドに回り込んだり、前へアプローチしたり、攻撃をしかけてポイントをとれるショットを練習しましょう。

回数：2球ずつ〜　**人数**：1人
ポイント：にがてなものや身につけたいプレーだけをくりかえし練習します。

メニュー2

アプローチからボレーを決める

アプローチからボレーを決めるパターンを練習しておくと、試合のとき積極的に前にいけるようになります。

実戦でボレーが使えるようになるための練習

メニュー1

ボレーを決めに行く練習

①ファーストボレーを打ちながら前につめて行きます。
②ネットに近づいてセカンドボレーを決めに行きます。

ボレーのエリアで動いてボレーを打てるようにする

ファーストボレーを打って前につめて、セカンドボレーを決めに行く練習です。左右に動いて行く練習では、ボレーの守備力を上げていけるようにしましょう。

回数：6〜10球ずつ　**人数**：1人
ポイント：ボレーでの攻撃と守備力を上げていけるようにします。

メニュー2

左右に動いてボレーの守備力を上げる練習

①左右に振られても、手を出してボールを取りに行きましょう。
②バランスを保ちながらボレーして、守備のエリアを広げて行けるようにする。

スマッシュを決めにいけるようになるための練習

メニュー1

その場打ち練習

①ボールの落下地点にしっかりと入ってから打ちます。
②どんなボールが来ても、正確にボールの落下点に入りましょう。

実戦的なスマッシュの練習

その場打ちと言っても、ボールの落下地点はつねに変化します。正確に落下地点に入りましょう。ジャンピングスマッシュは、スマッシュの守備力を上げられるように、大きく下がって打てるようにしていきましょう。

回数：3～6球ずつ　人数：1人
ポイント：実戦でスマッシュを使えるようになるための練習。

メニュー2

ネットタッチしてからスマッシュ練習

①ネットタッチをすることで、後ろに下がりながらスマッシュを打つ動作をつくれます。
②大きく下がり後ろ足でジャンプと同時にスイングする。

サーブ練習

サーブの動作をよくする遠投になれておこう

メニュー1

高く遠くへ投げるイメージで遠投する

①遠投をしてサーブの動作を覚えます。
②遠投をするときはコートを意識せずに、フェンスにむかって高く遠くへ投げるのがポイントです。

ボールを投げる遠投を練習のまえにおこなう

サーブの練習は目印になるものをおいて、そこにねらってコントロールしましょう。また遠投をすると、サーブの切れがよくなるので、サーブの練習のまえに遠投もおこないましょう。

回数：10球～　人数：2人
ポイント：小学校低学年のうちから、ボールをしっかり投げられるように練習しておきましょう。

メニュー2

コントロール力をアップするサーブの練習

①2人でおこなうばあいは、コートのはんぶんずつ使います。高い位置でボールをとらえましょう。
②ターゲットを狙って、コントロール力を身につけましょう。

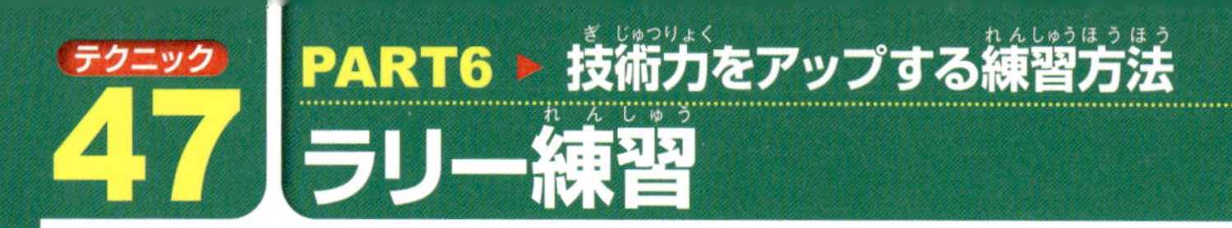

コントロール力を身につけるためのラリー練習

メニュー1

クロスラリー

試合のとき、もっとも多く使われるクロスコートのラリーです。
コートの半分を使いラリーをつなげましょう。

試合に近いラリー形式でおこなう練習

より実戦に近い練習として、ボールを打ち合うラリー練習をおこないます。打ち合いの中で、ボールのコントロール力を上げていく練習なので、ミスをせずしっかりつながるようにコントロールしましょう。

回数：5〜10分　**人数**：2人
ポイント：2人1組でおこなうラリーを続けることで、試合に近い形で練習ができる。

メニュー2

ストレートラリー

ストレートはラインぎわを狙えるように、エリアをつくってラリーをしましょう。
コートの端を狙って、ラリーできるようにしましょう。

ボレーのコントロールと反応速度を高めるための練習

メニュー1

ボレー対ストロークのラリー

1人がボレーを打ち、もう1人がストロークを打ってラリーを行う練習です。
お互いで正確に相手の打ちやすいところにコントロールすることが大切です。

ボレーのコントロールと反応を高める練習

ボレー対ストローク、ボレー対ボレーでラリーをする練習です。ボレーのコントロール力と反応速度を高めていって、ボレーをスキルアップしていきましょう。

回数：3〜5分　**人数**：2人
ポイント：コントロール力と反応速度を高めて、少しでも長くラリーを続けよう。

メニュー2

ボレー対ボレー

返って来るボールが速いので、すばやく準備して、反応速度を高めましょう。

ポイント練習

試合に近い状況を作って相手と競い合う練習

メニュー 1

ポイント練習

コーチから球出しをしてもらい、ラリーからそのままスタートします。
最初に真ん中に返してあとはポイントを取るまで行います。7～11ポイント先取で1～5セット行います。

試合を意識した実戦的な練習

ポイント練習や試合形式で相手と競い合います。相手との駆け引きやポイントの取り方を学びます。実戦を意識して練習しましょう。練習の成果を試すこともできます。

回数：－　**人数**：2人
ポイント：試合で勝つことをイメージしてやってきた練習の成果を発揮しよう。

メニュー2

試合形式

サーブからスタートして試合と全く同じ状況を作り出します。試合や大会を意識して練習しましょう。1～3セットマッチ行います。

10歳以下の子どもを対象とした指導プログラム

プレイアンドステイについて

年齢に応じて、背丈にあったボールとコートを使用する

「プレイアンドステイ」とは、年齢と能力にあわせた大きさのボールやコート、ラケットでプレーすることにより、基本的なフォームをしっかりと身につけ、ケガをへらし、テニスのたのしさをはやい段階でおぼえることができるように、国際テニス連盟によって考えられた10歳以下を対象にした指導プログラムです。

いきなり大人のボールとラケットを使うのではなく、遅めのボールや短めのラケットを使うことで、ラリーが続きやすく、サーブや得点も決まりやすくなるので、やる気と自信を持って成長することができます。試合時間も短いので、試合の経験もたくさんつむことができます。年齢によって「5～8歳」「8～10歳」「9～10歳」の３つにわかれます。

年齢に応じた指導の目的と意義

5-8歳	遅めのボール、せまいコート、短めのラケットを使って、最初のレッスンからゲームができます。プレーヤーはチーム戦でたのしくはじめて、技術をのばすことができます。
8-10歳	プレーヤーはその体格にあったやや大きめのコートでプレーします。ボールはややはやくなりますが、打ちやすいです。試合時間がすこし長くなり、個人戦とチーム戦の両方をたのしくプレーできます。
9-10歳	ボールが普通のテニスボールよりすこし遅く、バウンドもひくくなるので、しっかりした技術を身につけることができます。試合時間はやや長くなり、個人戦とチーム戦の両方をたのしくプレーできます。
11歳以上	一般的なテニスと同じになります。フルコートで普通のテニスボールを使ってのプレーと練習をおこないます。

試合方式の例

10歳以下の試合形式は、つぎのようになります。プレーヤーに応じて、点数を少なくしてもかまいません。また、15分の制限時間を決めてもよいでしょう。大会をおこなうときも、たくさん試合ができるようにリーグ戦やチーム戦にするとよいでしょう。

- 7もしくは10ポイントの1ータイブレークマッチ
- ベストオブ3ータイブレークマッチ（7ポイント）
- 1ーショートセット（4ゲーム）
- ベストオブ3ーショートセット（3セット目はタイブレークマッチ）
- ノーアドスコアリング（デュースになったら1ポイントで）

colmun

低年齢の子どもには てのひらけっと

より低年齢の子どもや、これからテニスをはじめる子どもでも、テニスがたのしめるように、ウレタン素材でつくられた「てのひらけっと」を使うのもいいでしょう。写真のように、手にはめて、ボールを打ちます。

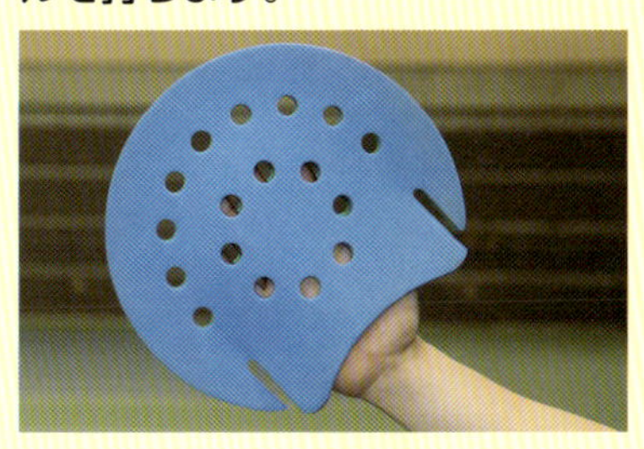

年齢に応じた道具とコート

プレイアンドステイでは、子どもの年齢を3つの段階にわけて、以下のようにそれ

年齢	ボール
5-8歳	普通のテニスボールよりも75%遅め。スポンジとフェルトの2種類あり、スポンジはやわらかく、フェルトは少し大きくつくられています
8-10歳	フェルトでつくられていて、普通のテニスボールよりも50%遅め
9-10歳	フェルトでつくられていて、普通のテニスボールよりも25%遅め
11歳以上	普通のテニスボール

それぞれ道具を定めています。11歳以上のばあいは、一般的なテニスと同じになります。

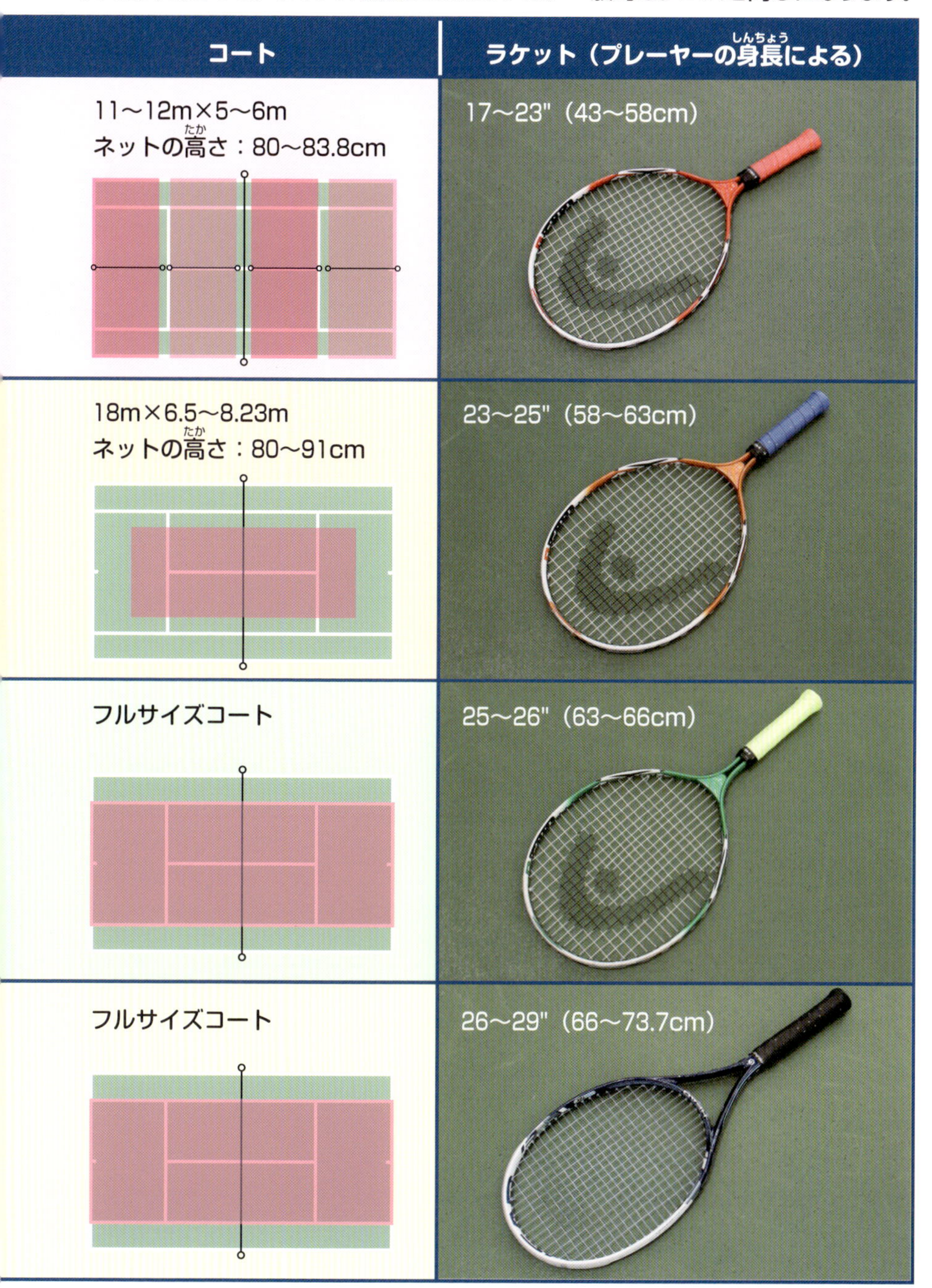

コート	ラケット（プレーヤーの身長による）
11〜12m×5〜6m ネットの高さ：80〜83.8cm	17〜23"（43〜58cm）
18m×6.5〜8.23m ネットの高さ：80〜91cm	23〜25"（58〜63cm）
フルサイズコート	25〜26"（63〜66cm）
フルサイズコート	26〜29"（66〜73.7cm）

監修

増田健太郎（ますだ・けんたろう）

元日本代表コーチ。1971年生まれ。湘南工科大学付属高校在籍中、インターハイ個人戦・団体戦、全国選抜、全日本ジュニアなど国内のジュニアタイトルをすべて制覇。93年、94年天皇杯全日本テニス選手権シングルス2連覇。元日本テニス協会ナショナルチーム・デビスカップ代表コーチ/元日本オリンピック委員会強化スタッフ。日本テニス協会公認S級エリートコーチ。JOP国内ランキング最高位シングルス3位/ダブルス2位。2008年北京オリンピック、2012年ロンドンオリンピック日本代表コーチ。2007～2017年日本代表ナショナルチームのコーチとして、当時ナショナルメンバーであった錦織、添田、伊藤、杉田、内山、西岡、ダニエル等を指導。マスケン・テニス・サポート株式会社代表。MTSテニスアリーナ三鷹の運営を行い、MTS強化選手の内山靖崇や大前綾希子の指導にあたっている。

モデル

安達来紀

増田蹴馬

STAFF
企画■株式会社多聞堂
編集■浅井貴仁（エディットリアル株式會社）
撮影■上野山裕二（株式会社クライマーズ）
デザイン■田中宏幸（田中図案室）
撮影協力■BlueSIX

PRO
PRO

小学生のためのテニスがうまくなる本 増補改訂版
基本スキルを完全マスター！

2023年 2 月25日 第1版・第1刷発行
2025年 1 月30日 第1版・第3刷発行

監修者 増田健太郎（ますだ けんたろう）
発行者 株式会社メイツユニバーサルコンテンツ
代表者 大羽孝志
〒102-0093 東京都千代田区平河町一丁目 1-8
印 刷 株式会社厚徳社

◎『メイツ出版』は当社の商標です。

ご意見・ご感想はホームページから承っております。
ウェブサイト https://www.mates-publishing.co.jp/

企画担当：堀明研斗／千代 寧

※本書は2019年発行の『もっと活躍できる！小学生のためのテニスがうまくなる本 新版』を元に内容の確認、新規内容を追加、書名・装丁を変更して新たに発行したものです。